Léon
Maigrichon

De la même auteure chez Québec Amérique

Jeunesse

SÉRIE CHARLOTTE

La Nouvelle Maîtresse, Livre-audio, 2007.
La Fabuleuse Entraîneuse, coll. Bilbo, 2007.
L'Étonnante Concierge, coll. Bilbo, 2005.
Une drôle de ministre, coll. Bilbo, 2001.
Une bien curieuse factrice, coll. Bilbo, 1999.
La Mystérieuse Bibliothécaire, coll. Bilbo, 1997.
La Nouvelle Maîtresse, coll. Bilbo, 1994.

SÉRIE ALEXIS

Alexa Gougougaga, coll. Bilbo, 2005.
Roméo Lebeau, coll. Bilbo, 1999.
Toto la brute, coll. Bilbo, 1998.
Valentine picotée, coll. Bilbo, 1998.
Marie la chipie, coll. Bilbo, 1997.

SÉRIE MARIE-LUNE

Pour rallumer les étoiles – Partie 2, coll. Titan+, 2009.
Pour rallumer les étoiles – Partie 1, coll. Titan+, 2009.
Un hiver de tourmente, coll. Titan, 1998.
Ils dansent dans la tempête, coll. Titan, 1994.
Les grands sapins ne meurent pas, coll. Titan, 1993.

La Grande Quête de Jacob Jobin, Tome 2 – Les Trois Vœux, coll. Tous Continents, 2009.
La Grande Quête de Jacob Jobin, Tome 1 – L'Élu, coll. Tous Continents, 2008.
Ta voix dans la nuit, coll. Titan, 2001.
Maïna, Tome II – Au pays de Natak, coll. Titan+, 1997.
Maïna, Tome I – L'Appel des loups, coll. Titan+, 1997.

Adulte

Au bonheur de lire, Comment donner le goût de lire à son enfant de 0 à 8 ans, coll. Dossiers et Documents, 2009.
Pour rallumer les étoiles, coll. Tous continents, 2006.
Le Pari, coll. Tous Continents, 1999.
Marie-Tempête, coll. Tous Continents, 1997.
Maïna, coll. Tous Continents, 1997.
La Bibliothèque des enfants, Des trésors pour les 0 à 9 ans, coll. Explorations, 1995.
Du Petit Poucet au Dernier des raisins, coll. Explorations, 1994.

Léon Maigrichon

DOMINIQUE DEMERS
ILLUSTRATIONS : PHILIPPE BEHA

QUÉBEC AMÉRIQUE Jeunesse

Catalogage avant publication de Bibliothèque et Archives Canada

Demers, Dominique
Léon Maigrichon
(Bilbo jeunesse; 95)
ISBN 10 : 2-7644-0077-2
ISBN 13 : 978-2-7644-0077-7

I. Titre.
PS8557.E468L46 2000 jC843'.54 C00-941127-5
PS9557.E468L46 2000
PZ23.D45Le 2000

Conseil des Arts du Canada Canada Council for the Arts

Nous reconnaissons l'aide financière du gouvernement du Canada par l'entremise du Programme d'aide au développement de l'industrie de l'édition (PADIÉ) pour nos activités d'édition.

Gouvernement du Québec – Programme de crédit d'impôt pour l'édition de livres – Gestion SODEC.

Les Éditions Québec Amérique bénéficient du programme de subvention globale du Conseil des Arts du Canada. Elles tiennent également à remercier la SODEC pour son appui financier.

Québec Amérique
329, rue de la Commune Ouest, 3e étage
Montréal (Québec) H2Y 2E1
Téléphone : 514 499-3000, télécopieur : 514 499-3010

Dépôt légal : 4e trimestre 2000
Bibliothèque nationale du Québec
Bibliothèque nationale du Canada

Révision linguistique : Michèle Marineau
Mise en pages : Andréa Joseph [PageXpress]
Réimpression : septembre 2009

À Julien Demers,
filleul et champion

Remerciements

J'aimerais remercier de tout cœur mes jeunes critiques et leurs enseignantes. Il s'agit de Denise Boileau-Francœur et des élèves de l'école Jean-Leman à Candiac ; de Suzanne Gaudreault et des élèves de l'école Marie-Victorin à Varennes ; de Julie Cyr et des élèves de l'école Louis-Lafortune à Delson. Sans vos précieux conseils, *Léon Maigrichon* serait bien moins bon.

Merci également au vrai Alexis, qui est grand maintenant, mais qui continue de m'inspirer. Et longue vie au Vélo Club Brossard, où il a été très heureux.

1
Champion de rien

Quelle journée ! Macaroni, mon professeur, nous avait demandé d'apporter un objet qu'on aime pour le présenter aux amis. J'ai choisi Crispette, ma sauterelle séchée. C'est la plus belle pièce de ma collection d'insectes.

— Alexis, c'est à ton tour ! a crié Macaroni pendant que j'étais dans la lune.

Je me suis précipité vers l'avant sans remarquer que Lucas Legrand avait laissé traîner ses longs pieds. Lucas, c'est un enfant géant. Ses souliers ont la taille d'une chaloupe. J'ai trébuché, et Crispette a fait un vol plané pour atterrir sur la tête de Lauralie Laviolette.

L'espèce de cornichonne s'est mise à hurler en sautillant sur place comme si son ventre était rempli de sauterelles. Pendant ce temps-là, toutes les filles de la classe criaient :

— Ouache !

— Yark !

— Beurk !

— DÉGUEU !

À croire qu'au lieu d'une pauvre petite sauterelle séchée, Lauralie avait un monstre à vingt-deux ventouses sur la tête.

J'avais prévu expliquer à la classe d'où vient l'espèce de mélasse que fabriquent les sauterelles, mais j'ai changé d'idée. J'étais trop insulté. J'ai récupéré Crispette et je suis retourné à ma place sans parler.

Les filles, c'est vraiment TROP nouille !

Après, c'était au tour d'Henri. Il avait apporté un trophée de hockey. Son plus gros ! Celui qui pèse trois mille tonnes. Henri a marché vers le pupitre de Macaroni, la tête haute et l'air important. On voyait qu'il se pensait bon. Très bon. Comme s'il avait gagné le trophée du meilleur compteur de la Ligue nationale de hockey au lieu de celui de l'équipe Atome de son quartier.

N'empêche ! Henri et son trophée éléphant ont eu beaucoup plus de succès que moi avec ma sauterelle. Les gens préfèrent toujours les champions !

Et c'est plein de champions partout. Pierre-Luc Potvin remporte tous les concours de yo-yo et Rosaline Lamonde tous les tournois d'échecs. Marc Sigouin est le meilleur faiseur de grimaces de l'école et Nathalie

Turcotte a gagné des tas de médailles en jouant de la trompette. Katarina est championne en corde à sauter. Et en beauté...

Et moi? MOI? Je suis le champion... de rien. Je ne suis rien de vraiment bon.

Ah! C'est sûr que je suis champion pour faire enrager ma sœur. Et ma mère dit que je suis le roi des gloutons. J'ai déjà mangé sept hamburgers d'affilée. Mais ça ne compte pas vraiment.

Parfois, le soir, avec mon père, je lis *Le livre Guinness des records*. Il y a un homme fort québécois qui a tiré un camion... attaché à ses cheveux! Et, à Boucherville, un autre a construit une pyramide avec 19 019 pamplemousses. Ailleurs, un homme a avalé tout un camion (coupé en petits morceaux, bien sûr).

Le monde est rempli de champions. Des champions cracheurs de pépins de pomme, des champions lécheurs de timbres et même des champions de course à reculons.

Le pire, c'est que Macaroni a lancé un nouveau concours super-idiot. Avant les grandes vacances, tout le monde doit voter pour le champion des champions de la classe. Et devine ce que remporte le gagnant ou la gagnante ? La gloire, l'honneur, l'admiration... et dix *sundaes* gratuits ! Un par semaine, pendant tout l'été, au *Pavillon de la crème glacée*.

J'adore les *sundaes*. Je serais prêt à TOUT pour gagner. J'accepterais même de jouer à la poupée Barbie pendant toute une journée avec Marie la chipie, mon désastre de sœur.

Fesses de maringouin ! Je suis désespéré !

2
Pattes de cure-dents

J'ai trouvé ! Comme d'habitude, l'unique, l'extraordinaire, le fabuleux Alexis Dumoulin-Marchand a eu une idée géniale.

Opération Coyote !

Attends ! Je vais t'expliquer...

À ma fête, l'automne dernier, j'ai reçu un vélo neuf de Martin, mon parrain riche. Je rêvais d'un vélo tout-terrain, mais il m'a offert un vélo de course.

— Un vrai vélo de compétition. Solide, léger, performant ! a dit Martin, fier de son coup.

N'empêche, j'étais un peu déçu. Mais plus maintenant. J'ai décidé de m'inscrire au club cycliste Les Bolides. Avec mon nouveau vélo, baptisé le Coyote, je vais battre tous les records.

Tenez-vous bien ! Alexis s'en vient.

En attendant la première réunion des Bolides, j'ai fait un rêve prémonitoire. Un rêve qui annonce la réalité !

Dans mon rêve, mon super-vélo fendait l'air à une vitesse supersonique. Le Coyote filait comme une bête sauvage. Ensemble, nous étions prêts à tout pour gagner la course.

Henri et son vélo étaient loin derrière. Le pauvre petit champion de hockey était tombé à terre au passage d'Alexis-la-tornade.

Je voyais la ligne d'arrivée maintenant. Droit devant. Il nous restait trois cyclistes à dépasser.

J'ai caressé le guidon de mon vélo et j'ai murmuré :

— Vas-y, le Coyote. Il faut gagner !

Mon vélo a tout compris. Il a bondi comme un pur-sang en fonçant vers la ligne d'arrivée.

Au micro, une voix d'homme a annoncé :

— Et le champion est... Alexis Dumoulin-Marchand !

— Hourra ! criaient les filles de la classe pendant que Katarina, la plus belle, avançait vers moi.

— Alexis, tu es le meilleur de tous les champions, a soufflé Katarina à mon oreille.

Ma belle comète européenne allait m'embrasser. J'ai tendu les lèvres vers elle et...

J'ai découvert ma mère penchée sur moi !

— Alexis, réveille-toi, mon petit poussin. On est samedi. La réunion des Bolides a lieu dans une heure.

J'ai avalé quatre crêpes au sirop, deux tasses de lait à la fraise et un grand verre de jus de raisin. J'ai ajouté un petit muffin au chocolat pour finir de calmer mon estomac, puis j'ai filé jusqu'au centre communautaire.

La salle de réunion était déjà pleine de cyclistes, tous plus âgés que moi. C'était pas mal impressionnant.

Je me suis demandé tout à coup si le cyclisme était le bon sport pour moi. J'avais envie de retourner à la maison pour regarder les dessins animés à la télévision. C'est là qu'une espèce de géant s'est approché de moi.

— Bonnejour ! Zé souis Vladimir, lé chef entraîneur, a dit le colosse en me serrant la main très fort.

Tellement fort qu'il m'a écrabouillé les doigts !

Vladimir vient de Russie. Son fils est membre du club Les Bolides. Et les cyclistes du club Les Bolides s'entraînent – tiens-toi bien ! – une vingtaine d'heures par semaine.

Je ne savais pas qu'il fallait souffrir autant pour devenir champion !

Pendant la réunion, Vladimir a annoncé que le championnat des jeunes cyclistes aurait lieu dans six semaines. À la fin, il a lancé, d'une voix de général d'armée :

— Lé entraînement commence demaine matin. À houit heures pile !

J'avais hâte de partir pour ne plus jamais revenir. Vingt heures d'entraînement ! C'est complètement cracpote ! « C'est pas un club de cyclistes, c'est un club de fous ! » : voilà ce que je me disais en marchant vers la sortie.

C'est là que j'ai rencontré le fils de Vladimir. Je le connais ! C'est Léon, un élève de ma classe. Tout le monde l'appelle Léon Maigrichon parce qu'il est aussi mince qu'un poil de brosse à dents. Je ne savais pas qu'il était né en Russie. Léon n'a pas d'accent. Son vrai nom c'est Leonid, mais il trouve que ça sonne trop comme un nom de fille.

— Je suis tellement content que tu te joignes à nous, Alexis, a dit Léon. On va s'entraîner ensemble. C'est formidable ! Avant, j'étais le seul de mon âge.

Je voulais lui dire que je n'avais pas vraiment le courage de m'entraîner vingt heures par semaine, lorsque j'ai vu ses petites jambes maigres.

Léon a des pattes en cure-dents !

Une vraie farce ! À côté de lui, j'ai déjà l'air d'un champion cycliste. Alors, j'ai pensé que si Léon le maigrichon était capable de survivre à vingt heures d'entraînement, ça ne pouvait pas être SI pire.

— À demain, Alexis ? m'a demandé Léon.

Devine ce que j'ai répondu...

3
Léon a un secret !

Tu parles d'un entraînement !

Ce matin, je suis arrivé au parc Sainte-Gribouille à huit heures et quelques poussières. Tout le monde était déjà là. Vladimir m'a fusillé d'un regard sévère.

— Tou es en rétard, Alexisse... Ouste ! Vite ! a-t-il ordonné pendant que je ratatinais devant lui.

Il nous a fait courir, faire des pompes, sauter sur place, bouger nos bras, nos jambes, étirer notre cou, notre dos, nos mollets...

À la fin, je me sentais comme une vieille lavette. Trempé, épuisé... et parfaitement écœuré.

C'est à ce moment que Vladimir a crié :

— À vos vélos ! Ouste ! Vite ! On commence !

QUOI ? On commence ? Moi, je pensais que c'était fini !

Du regard, j'ai cherché Léon. Disparu ! Il devait être reparti chez lui, à moitié mort. Je pensais d'ailleurs faire comme lui lorsque j'ai entendu :

— Youhou ! Alexis !

Ah non ! C'était Katarina, accompagnée de Lauralie, Émilie et Rosalie. Elles étaient venues m'encourager.

Plus question d'abandonner. Il fallait que je leur montre qu'Alexis Dumoulin-Marchand a du cœur au pied... euh... au ventre. Alexis Dumoulin-

Marchand n'est pas une poule séchée... euh... mouillée.

J'ai foncé, droit devant, comme dans mon rêve. J'oubliais ma fatigue. Je pédalais aussi vite que je pouvais.

— C'est beau, Alexisse ! Continiou ! a crié Vladimir.

Je me sentais déjà un peu champion. Je me disais même que, finalement, la course à vélo, c'est peut-être le bon sport pour moi. J'étais drôlement encouragé jusqu'à ce que...

Jusqu'à ce que Léon Maigrichon me dépasse !

Fesses de maringouin ! Je n'en croyais pas mes oreilles... euh... mes yeux.

Léon roulait plus vite que moi. Beaucoup plus vite que moi ! Quelle horreur ! Quelle honte ! Me faire dépasser par un maigrichon !

Même en accélérant, je n'arrivais pas à le rattraper. J'avais mal aux jambes, aux cuisses, au dos, à la tête... et surtout, surtout, j'avais mal au cœur. Mon dernier repas ballottait bizarrement dans mon pauvre petit estomac.

Je me suis arrêté devant Vladimir.

— Tou es fatigué, Alexisse ? a-t-il demandé.

— Ah oui ! J'en peux plus. J'ai envie de vomir...

— Alors, vomis, Alexisse, a dit Vladimir, très calme.

J'avais sûrement mal entendu...

— Vous voulez... que je vomisse ? ! !

— Si tou as besoin, Alexisse. Mais après, il faut pédaler. Pas bon arrêter. Il faut de la *persévérsérance*.

C’est là que j’ai entendu les filles.

— Bravo, Léon !

— T'es vraiment bon !

— Un vrai champion !

— Comment fais-tu pour rouler si vite ?

C'est ce que je me demandais, moi aussi, justement. Comment fait-il ? !

À moins que... Oui, c'est sûrement ça !

Léon a un secret ! Il se frotte les jambes avec une crème spéciale. Ou son vélo est muni d'un dispositif particulier. À moins qu'il n'avale un breuvage prodigieux, une sorte de potion, comme Astérix.

Léon a un secret. C'est sûr. Et moi, Alexis Dumoulin-Marchand, je vais le découvrir !

4
Ouache! Booork! Beurk!

Le deuxième entraînement a été encore pire que le premier. À la fin, j'avais les jambes molles comme des spaghettis trop cuits, le dos tordu comme une réglisse, le cœur en gibelotte, l'estomac en compote et le moral en miettes.

Chaque fois que je passais devant lui, Vladimir hurlait :

— Ouste, Alexisse ! Plou vite ! Plou vite !

Chaque fois que Léon me dépassait, il m'encourageait :

— Lâche pas, Alexis, t'es capable !

Léon est vraiment gentil. C'est dommage qu'on soit rivaux. C'est vrai : un seul de nous peut devenir champion des champions. C'est dommage parce qu'on aurait pu devenir d'excellents amis.

Après l'entraînement, Léon m'a invité à prendre une collation chez lui. J'ai tout de suite pensé que ce serait une bonne occasion pour l'espionner afin de découvrir son secret. Et puis, j'aime bien le mot « collation ». Ça sonne toujours bon.

Devine ce que j'ai mangé chez Léon ? Des carottes crues, des pommes tranchées et... de la soupe à la betterave !

Oui, oui. Tu as bien compris ! C'est une spécialité de la Russie. De la soupe rouge faite avec des betteraves et du vinaigre. Imagine comme ça doit être bon. Ils appellent ça du *bortsch*. Et ça goûte comme ça sonne.

— Ouache ! Booork ! Beurk !

J'ai observé Léon. Il avalait sa soupe à toute vitesse. Un vrai goinfre. À croire qu'il aimait ça.

C'est à ce moment que j'ai eu l'éclair de génie. J'ai compris. Le secret, c'est la soupe ! Pour devenir champion cycliste, il faut manger des betteraves. Beaucoup de betteraves. Des tonnes et des tonnes de betteraves.

En rentrant à la maison, j'ai supplié ma mère de préparer des repas à la betterave. Et pas seulement de la soupe. Des sandwichs aux betteraves, du macaroni à la betterave, des hamburgers aux betteraves, du jus de betterave, des tartes à la betterave, de la pizza...

5
Pedro la peste

J'avais l'estomac plein de betteraves, hier, à notre première compétition. C'était seulement une rencontre amicale. Sans vraies médailles. Pourtant, jamais je n'oublierai cette journée.

Léon et moi, on se dirigeait tranquillement vers le kiosque d'inscription lorsqu'un cyclone à deux roues a failli nous démolir.

— Ça, c'est Pedro la peste, a annoncé Léon, découragé.

Pedro la peste s'entraîne avec l'équipe des TTV : les Très très vites. Son père est très très riche. Tu devrais voir son vélo. Il a été fabriqué sur mesure, juste pour lui. Son nom est gravé sur le cadre. En lettres dorées !

Pedro se pense bon. Très très bon. Pire qu'Henri. Et il est détestable. Mille fois plus que ma sœur, Marie-Cléo.

Pendant qu'on prenait nos dossards, il s'est moqué du vélo de Léon.

— Tu parles d'un paquet de ferraille ! As-tu trouvé ça dans les poubelles ?

Léon baissait les yeux. Il ne disait rien. J'avais de la peine pour lui.

Pedro s'est installé à côté de moi pour attendre le signal de départ. Il était plutôt gentil. Ça m'a surpris. Il a examiné mon vélo, tripoté les pneus, le dérailleur, la chaîne.

— Belle bécane, a-t-il lancé.

J'aurais dû me méfier !

Au signal de départ, Pedro a filé comme une flèche. Tous les autres ont suivi.

Moi, je n'ai pas bougé. Ma chaîne était décrochée !

Je comprenais, maintenant, pourquoi Pedro voulait tant tripoter mon vélo. Je pensais abandonner la course lorsque Léon m'a bousculé.

— Vite, Alexis, je vais t'aider.

Deux secondes plus tard, ma chaîne était replacée. Aussitôt, Léon est reparti comme une bombe. Je l'ai entendu crier :

— N'abandonne pas, Alexis ! Pedro serait trop content.

Il avait raison. J'ai foncé, droit devant. J'y ai mis tout mon cœur, toute mon ardeur. Et j'ai réussi à rejoindre le groupe de cyclistes. J'en ai même dépassé plusieurs.

Plus j'approchais de la ligne d'arrivée, plus les muscles de mes mollets chauffaient. J'avais l'impression que mes jambes allaient prendre en feu !

J'avais de plus en plus envie d'arrêter. De m'écraser. Surtout que je n'avais aucune chance de gagner avec tous les cyclistes devant.

J'allais ralentir et me laisser dépasser, lorsqu'une petite voix, à l'intérieur de moi, a crié :

— Lâche pas, Alexis ! T'es capable !

J'ai accéléré. Je pensais à ce que Vladimir m'avait dit la veille : « L'important, c'est la *perséverserance.* » Ça m'a aidé. J'ai continué. En pédalant encore plus vite. Encore plus fort.

Soudain, j'ai vu la ligne d'arrivée. J'ai imaginé qu'un immense *sundae* m'attendait là. J'ai pédalé le plus vite que je pouvais en pensant seulement au goût de la crème glacée et de la sauce au chocolat dans ma bouche.

C'est ainsi que j'ai réussi un superbe sprint final.

WOW ! Tous les spectateurs étaient impressionnés. Et ma sœur était excitée comme une puce.

— Bravo, Alexzis ! Tu es mon zéro ! s'est exclamée Marie-Cléo.

— Héros, Marie-Cléo. HÉ-ROS !

Au lieu d'un *sundae* à trois saveurs, j'ai eu droit à un bec baveux de ma sœur. Le pauvre Léon aussi.

Remarque qu'il le méritait bien. Il est arrivé deuxième ! Malgré son retard au départ. Un vrai champion ! Je suis vraiment fier de mon ami Léon.

Mais devine qui est arrivé premier ?

Eh oui ! Pedro la peste !

6
Zozo de zaza de zinzouin!

J'ai inventé une nouvelle recette : la fondue à la betterave. Je trempe des cubes de betteraves (les plus petits possible) dans une sauce au chocolat épaisse. Ce n'est pas vraiment succulent, mais ça camoufle le goût affreux des betteraves.

Je mange aussi toutes sortes d'aliments super-hyper-nutritifs ! Ce soir, j'ai avalé une pleine assiette de ratatouille, deux gros morceaux de foie de veau, tous mes petits pois... et ceux de ma sœur en plus !

Léon et moi, on s'entraîne tous les jours. C'est normal : le championnat des jeunes cyclistes a lieu après-demain.

Hier, Léon est venu prendre une collation chez moi après l'entraînement. Je lui ai préparé ma nouvelle spécialité. Un triple-sandwich-super-spécial-vitaminé. Trois tranches de pain de blé entier garnies de jambon, fromage, concombre, tomates, luzerne, beurre d'arachide, bananes et miel.

Ça donne un sandwich tellement haut qu'il faut l'écrabouiller pour le faire entrer dans notre bouche. Léon a adoré ça. Il dit que je suis un champion cuisinier.

Je rêve de préparer un triple-sandwich-super-spécial-contaminé à Pedro. Je mettrais plein d'ingrédients qui goûtent bon, mais à la fin j'ajouterais des crottes de Batman, ma gerboise.

Tout à l'heure, Léon m'a téléphoné. Comme moi, il n'arrivait pas à dormir. Il pensait à la compétition.

J'ai essayé de le rassurer.

— C'est sûr que tu vas gagner, Léon. L'autre jour, si tu n'étais pas revenu m'aider, c'est toi qui serais arrivé le premier.

Léon n'était pas si certain.

— L'an dernier, Pedro m'a battu à chaque compétition, a-t-il avoué.

J'étais vraiment étonné.

— Tu t'entraînais l'an dernier ?

— Bien sûr. Et l'année d'avant aussi. C'est pour ça que je suis plus rapide que toi.

— Ce n'est pas... Ce n'est pas à cause des betteraves ?

Léon a éclaté de rire.

— De quoi parles-tu, Alexis ? Qu'est-ce que les betteraves ont à voir avec le vélo ?

Ça m'a frappé comme un autobus. Non ! Un train. En effet ! Qu'est-ce que les betteraves ont à voir avec le vélo ?

Fesses de maringouin ! J'avais tout imaginé. Pendant des semaines, j'avais avalé des tonnes de betteraves pour rien.

— Espèce de vieux salami pourri ! Zozo de zaza de zinzouin !

— Quoi ? Qu'est-ce que tu dis, Alexis ?

— Rien, rien. Je me parlais...

7
Fricassée à la Pedro

Nous avons failli arriver en retard à la compétition parce que ma mère faisait un milliard de petites couettes dans les cheveux de ma sœur. Marie-Cléo veut ressembler à Fabiola Tortellini, la nouvelle chanteuse. C'est la grande idole des petites horreurs comme ma sœur.

Moi, je dis toujours la vérité :

— T'as l'air d'un porc-épic, Marie-Cléo.

Ma sœur voulait m'arracher les cheveux.

Malgré tout, je suis arrivé à temps à la compétition.

— Es-tou nerveuse, Alexisse ? a demandé Vladimir en m'apercevant.

Moi ? Nerveux ? J'avais les jambes en gibelotte, les mains mouillées, le cœur prêt à exploser et des sauterelles plein le ventre.

Moi ? Nerveux ?

— Ah oui ! Je pense que je vais m'évanouir.

Vladimir a éclaté de rire.

— Mais non, Alexisse. Tout va bien. N'oublie pas : l'important, c'est la ...

— Per-sé-vé-rance ! l'ai-je interrompu pour qu'il ne fasse pas d'erreur.

C'est à ce moment que j'ai vu Léon. Il avançait lentement vers nous. Il avait l'air démoli. Les roues de son vélo étaient tordues, les rayons défoncés, les pneus crevés.

Léon pleurait.

Il avait abandonné son vélo quelques minutes seulement, le temps d'aller aux toilettes. À son retour, le dégât était fait.

— C'est fini. Je ne pourrai pas participer à la course, a-t-il déclaré.

Au même moment, une voix a annoncé au micro :

— Les cyclistes doivent se préparer. Le départ a lieu dans trois minutes.

J'ai pris place derrière le ruban de départ. Je me sentais détruit, moi aussi. Soudain, j'ai reconnu une voix. C'était Pedro, à côté de moi.

— Il paraît que ton ami a des problèmes mécaniques, a-t-il lancé en ricanant méchamment.

Le coupable, c'était lui. Avant, je m'en doutais. Maintenant, j'en étais sûr.

J'avais envie de le couper en rondelles, de le faire frire, de le transformer en fricassée.

Dans l'estrade, j'ai vu Léon s'asseoir près de Katarina, Lauralie, Émilie, Rosalie et Henri. Ils m'ont fait de grands signes d'encouragement. Et Léon a crié, en souriant bravement :

— Bonne chance, Alexis !

J'ai senti mon cœur s'émietter.

— Deux minutes avant le départ, a lancé la voix au micro.

J'ai crié :

— Léon !

Tout le monde me regardait.

— Viens ! Vite !

Il ne comprenait pas. Il n'osait pas. Heureusement, Katarina a tout deviné. C'est elle qui a mené Léon jusqu'à moi.

J'ai regardé mon ami droit dans les yeux.

— Je te prête mon Coyote, Léon. Mais à une condition... Ne laisse pas Pedro gagner !

8
Léon zampignon

Quelle course ! Tu aurais dû voir l'air de Pedro quand Léon l'a dépassé. Ses yeux lançaient des éclairs, et on aurait dit que la fumée lui sortait par le nez.

Léon Maigrichon a remporté la médaille d'or du championnat des jeunes cyclistes.

Vladimir était fier de son fils. Et moi, j'étais vraiment content pour eux. Marie-Cléo aussi. Ma petite nouille de sœur a proclamé, assez fort pour que tout le monde entende :

— Léon est un zampignon !

— Cham-pi-on, Marie-Cléo. Cham-pi-on !

La foule a bien ri.

Je repense à tout ça pendant que Macaroni compte les bulletins de vote. Dans quelques instants, elle va annoncer le nom du champion des champions. Tout le monde se doute bien que c'est Léon.

Macaroni prend son temps. On dirait qu'elle fait exprès. Elle se gratte la gorge, recoiffe ses cheveux, pince ses lèvres...

Bon. Enfin ! Elle va parler.

— J'ai compté vingt-huit bulletins, commence Macaroni d'un ton cérémonieux. Tous les élèves ont voté. Et vingt-sept élèves ont voté pour la même personne. Je suis parfaitement d'accord avec ce choix.

Macaroni a fait une pause et elle a souri. Elle semblait contente de nous.

— Léon a remporté le championnat des jeunes cyclistes, et nous en sommes tous très fiers, a-t-elle poursuivi. D'autres élèves ont aussi réussi de formidables exploits. Mais le champion des champions est... ALEXIS DUMOULIN-MARCHAND !

J'ai failli tomber dans les pommes. Quoi ? Moi ? Non... C'est impossible.

— En cédant son vélo à Léon en pleine compétition, Alexis a remporté le championnat de l'amitié. C'est notre héros du cœur ! C'est lui, le meilleur des meilleurs ! a ajouté Macaroni.

Toute la classe applaudissait. Je ne rêvais pas : c'était vrai !

Léon m'a remis le certificat-cadeau du *Pavillon de la crème glacée*. Les yeux de mon ami brillaient. Il était sincèrement heureux pour moi.

J'ai pris le certificat-cadeau. C'est fou, mais on aurait dit que, soudain, tous ces *sundaes* – et même la gloire, l'honneur, l'admiration –, ça ne comptait plus vraiment.

Je m'étais inscrit au club Les Bolides pour remporter une médaille d'or. Mais j'ai découvert tout à coup que j'avais trouvé bien mieux : un ami en or !

Fiches d'exploitation pédagogique

Vous pouvez vous les procurer sur notre site Internet à la section jeunesse / matériel pédagogique.

www.quebec-amerique.com